Anne Wilson

PÂTES

Les préférées

KÖNEMANN

– Secrets de pâtes –

L'art de cuisiner et de déguster les pâtes, aliment de base par excellence, est riche de tradition et d'histoire. On attribue à Marco Polo leur introduction en Europe, au retour de ses expéditions en Extrême-Orient. Mais la plupart des Italiens vous diront que les pâtes sont italiennes – ce qui est aujourd'hui devenu une vérité.

Il existe un nombre infini de formes et de variétés de pâtes, chacune associée à un type particulier de sauce d'accompagnement. Vous trouverez dans cet ouvrage les illustrations des diverses pâtes citées. Fraîches ou sèches, ces dernières, faites en Italie, ont la réputation d'être les meilleures. Fabriquées à partir de semoule ou de farine de blé dur, riche en gluten, elles se divisent en deux grandes catégories : « longue » et « courte ». Les pâtes longues comprennent les spaghettis, les vermicelles, les linguines et les bucatinis. Dans les pâtes courtes, on trouve entre autres, les pennes, les macaronis, les farfalles et les coquilles. Les pâtes fraîches, fabriquées avec des œufs et de la farine, doivent se consommer dès qu'elles sont prêtes. On peut les préparer à la maison ou les

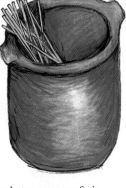

acheter au rayon frais d'un supermarché ou d'un magasin spécialisé. Les pâtes farcies telles que les raviolis et les tortellinis sont faites avec des pâtes fraîches. Il existe aussi des pâtes sèches aux œufs, le plus souvent sous forme de fettucine.

LA CUISSON DES PÂTES

Pour une cuisson parfaite, utilisez une très grande casserole. Comptez au moins 2 litres d'eau pour 250 g de pâtes – vous devez pouvoir les remuer facilement –, elles doivent pouvoir se dilater sans s'agglutiner. Portez l'eau à ébullition et plongez-y les pâtes. Certains ajoutent de l'huile dans la casserole, mais si la quantité d'eau est suffisante, les pâtes ne colleront pas. Vous pouvez saler les pâtes ; mais, en principe, une bonne sauce parfumée suffira à les relever. Remuez-les vivement pour bien les répartir dans l'eau et portez de nouveau à ébullition. Quand l'eau bout, commencez à compter les minutes. Couvrez la casserole pour accélérer l'ébullition, mais enlevez le couvercle dès que les pâtes commencent à cuire. Respectez le temps de cuisson indiqué sur le paquet. Cependant, la seule façon de savoir si

les pâtes sont cuites, c'est de les goûter. Prenez-en un petit bout et goûtez-le : la pâte doit être juste tendre, ne pas avoir un goût trop cru, et surtout n'être ni molle ni gluante. La cuisson *al dente* reste la meilleure. Les pâtes fraîches cuisent beaucoup plus vite que les sèches –

la plupart du temps, cela ne prend que 2 mn.

Les raviolis, tortellinis et gnocchis flottent dès qu'ils sont cuits ; goûtez-les, et si les pâtes sont prêtes, égouttez-les aussitôt dans une passoire. Quand elles sont égouttées, remettez-les dans la casserole et mélangez-les avec la sauce, ou disposez-les dans un plat et nappez de sauce. Si vous devez réserver les pâtes quelques minutes, mélangez-les avec un peu d'huile d'olive pour éviter qu'elles ne collent. Si vous n'êtes pas sûr(e) du temps de cuisson des pâtes, préparez d'abord la sauce. Le plus souvent, on peut la réchauffer sans problème. Si vous préparez vous-même vos pâtes fraîches, (comme indiqué dans notre recette de raviolis), sachez qu'une machine à pâtes vous permettra d'obtenir une pâte parfaitement roulée, d'épaisseur uniforme. Si vous n'avez pas de machine, utilisez un rouleau à pâtisserie pour rouler la pâte ; le résultat est tout à fait acceptable. De nos jours, on trouve toutes sortes de pâtes fraîches, des plus classiques aux plus

exotiques. Certaines sont teintées avec des légumes tels que la tomate, la betterave ou l'épinard. Testez donc différentes saveurs, couleurs et formes que vous trouverez au rayon frais d'épiceries fines et dans les magasins spécialisés. Profitez-en pour acheter un peu de parmesan de première qualité qui agrémentera vos pâtes. Le meilleur est sans aucun doute le *Parmigiano Reggiano* fabriqué en Italie. Disponible en

tranches, on le reconnait à son nom estampillé sur sa croûte épaisse. Dans les supermarchés, on trouve du parmesan déjà râpé, mais évitez autant que possible cette solution.

Dites-vous bien que la réussite de votre plat de pâtes tiendra à la réunion de tous les ingrédients ; achetez donc les plus frais et les meilleurs – utilisez des fines herbes fraîches, du fromage de première qualité et l'une des sauces que cet ouvrage vous propose.

- Formes de pâtes -

Dans un plat de pâtes, l'un des ingrédients essentiels est la pâte elle-même.
Et choisir la sauce d'accompagnement fait partie de l'art culinaire italien.
Dans cette page, découvrez les pâtes dont parle cet ouvrage, et dans les recettes
qui suivent, les sauces qui vont avec – mais vous pouvez aussi créer
vos propres combinaisons.

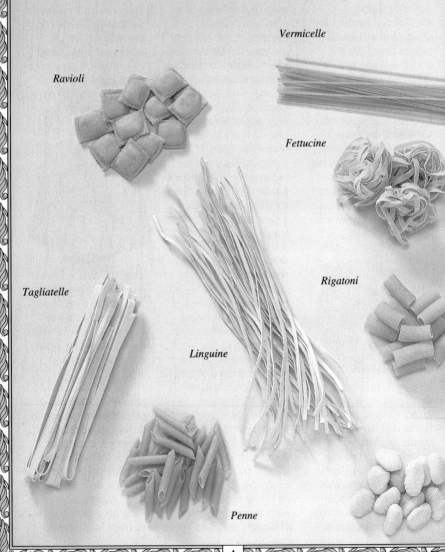

Vermicelle

Ravioli

Fettucine

Rigatoni

Tagliatelle

Linguine

Penne

Coquille

*Lasagne
(fraîche et
sèche)*

Pappardelle

Cannelloni

Spaghettis frais

Tortellini

Fusilli

Spaghettis

*Gnocchi (pomme de
terre et semoule)*

- Spaghettis bolognaise -

Temps de préparation :
20 minutes
Temps de cuisson :
1 h 40 mn

Pour 4 à 6 personnes

1. Hachez finement le persil et réservez. Faites chauffer l'huile dans une grande poêle profonde. Mettez l'ail, l'oignon, la carotte et le céleri. Laissez cuire 5 minutes à petit feu, en remuant, pour faire dorer les légumes.
2. Augmentez le feu, ajoutez la viande hachée et laissez dorer tout en remuant et en détachant les blocs de viande avec une fourchette. Versez le bouillon, le vin, les tomates écrasées et égouttées, le sucre et le persil haché.
3. Portez le tout à ébullition, baissez le feu et laissez mijoter 1 h 30,

1/4 de tasse de brins de persil (7 g)
2 cuil. à soupe d'huile d'olive
2 gousses d'ail, écrasées
1 gros oignon haché
1 carotte moyenne hachée
1 branche de céleri hachée
500 g de bœuf haché

2 tasses (500 ml) de bouillon de bœuf
1 tasse 1/2 (375 ml) de vin rouge
2 boîtes de 425 g de tomates écrasées
1 cuil. à café de sucre
Sel et poivre
500 g de spaghettis
2 cuil. à soupe de parmesan finement râpé, pour le service

à découvert, en remuant de temps en temps. Assaisonnez à volonté.
4. Pendant que la sauce cuit, et un peu avant de servir, mettez les pâtes dans une grande casserole d'eau bouillante et laissez-les cuire *al dente*. Égouttez-les dans une passoire et déposez-les dans les assiettes de service chaudes. Nappez les pâtes de sauce et saupoudrez de parmesan.

Note. Cette sauce célèbre, très appréciée, a ses origines dans la ville de Bologne. Délicieuse avec bon nombre de variétés de pâtes, essayez-la avec vos pâtes préférées et comme nappage sur des lasagnes.

Un gros couteau de cuisine est idéal pour hacher finement le persil.

Faites sauter l'ail, l'oignon, la carotte et le céleri à petit feu.

Versez le bouillon, le vin, les tomates, le sucre et le persil haché dans la poêle.

Remuez la sauce de temps en temps pendant qu'elle mijote à petit feu, à découvert.

– Fettucines Alfredo –

Temps de préparation :
10 minutes
Temps de cuisson :
15 minutes

Pour 4 à 6 personnes

500 g de fettucines ou de tagliatelles
90 g de beurre
1 tasse 1/2 (150 g) de parmesan fraîchement râpé

1 tasse 1/4 (315 ml) de crème
3 cuil. à soupe de persil fraîchement haché
Sel et poivre

1. Mettez les pâtes dans une grande casserole d'eau bouillante et faites-les cuire *al dente*. Égouttez-les et remettez-les dans la casserole en les gardant au chaud.
2. Pendant que les pâtes cuisent, faites fondre le beurre à petit feu dans une poêle moyenne. Ajoutez le parmesan et la crème ; portez à ébullition, en remuant sans arrêt. Mettez le persil, le sel et le poivre, et remuez pour bien mélanger.
3. Versez sur les pâtes égouttées et remuez pour bien mélanger. Servez si vous le souhaitez, décoré d'un brin de fines herbes.
Note. On affirme que les *Fettucine Alfredo* tirent leur nom d'Alfredo, restaurateur à Rome ; la légende prétend qu'il utilisait une fourchette et une cuillère en or pour donner une ultime touche à ses fettucines, juste avant de les servir.

Utilisez une râpe métallique pour obtenir un parmesan finement râpé.

Ajoutez le parmesan râpé et la crème au beurre fondu.

Mélangez le persil, le sel et le poivre à la préparation au fromage.

Mélangez délicatement la sauce aux pâtes.

- Pennes à l'arrabbiata -

Pâtes à la sauce épicée

Temps de préparation :
30 minutes
Temps de cuisson :
45 minutes

Pour 4 personnes

1/2 tasse (75 g) de couenne de lard	**1/2 tasse (125 ml) d'eau**
2 à 3 piments rouges frais	**Sel et poivre noir fraîchement moulu**
2 c. à soupe d'huile d'olive	**500 g de pennes**
1 gros oignon finement haché	**2 cuil. à soupe de persil frais haché**
1 gousse d'ail finement hachée	**Parmesan fraîchement râpé, ou pecorino, pour le service**
500 g de tomates bien mûres, cuites, hachées	

1. Hachez finement la couenne avec un gros couteau. Égrainez et hachez le piment, en faisant attention à ne pas vous irriter la peau (mettez des gants de caoutchouc). Mettez l'huile à chauffer dans une grande poêle ; ajoutez le lard, le piment, l'oignon et l'ail et laissez cuire 8 minutes à feu moyen, en remuant de temps en temps.
2. Ajoutez les tomates hachées et l'eau, assaisonnez de sel et de poivre noir. Couvrez et laissez mijoter 40 minutes, jusqu'à ce que la sauce épaississe et se parfume.
3. Juste avant de servir, portez à ébullition une grande casserole d'eau, avec un peu d'huile. Lorsque l'eau bout à gros bouillon, ajoutez les pennes et faites cuire *al dente*. Égouttez-les, puis remettez-les dans la casserole et gardez au chaud.
4. Ajoutez le persil à la sauce, goûtez et assaisonnez à nouveau, si nécessaire. Nappez les pâtes de sauce et mélangez délicatement. Servez avec le parmesan finement râpé ou saupoudrez avec du pecorino.
Note. *Arrabbiata* signifie aussi « furieux » ou « enragé » en italien ; un terme convenant parfaitement à ces pâtes qui peuvent être très piquantes – ou délicatement relevées, suivant la dose de piment utilisée.

Hachez finement le lard avec un gros couteau pointu.

Mettez des gants pour préparer le piment et éviter ainsi toute irritation.

Ajoutez les tomates hachées et l'eau aux
légumes cuits dans la poêle.

Portez l'eau à ébullition dans une grande
casserole, et versez un peu d'huile.

– Spaghettis à la carbonara –

Spaghettis à la sauce crémeuse d'œufs et de lard

Temps de préparation :
10 minutes
Temps de cuisson :
25 minutes

Pour 4 à 6 personnes

8 tranches de lard	**1 tasse 1/4 (315 ml) de**
500 g de spaghettis	**crème**
4 œufs	**Poivre noir fraîchement**
1/2 tasse (50 g) de	**moulu**
parmesan fraîchement	**Brins de fines herbes**
râpé	**pour décorer**

1. Enlevez la couenne du lard, et découpez-le en fines lanières. Mettez-le dans une grande poêle et laissez cuire à feu moyen jusqu'à ce qu'il soit craquant. Sortez-le de la poêle et égouttez-le sur du papier absorbant.

2. Mettez les pâtes dans une grande casserole d'eau bouillante et faites cuire *al dente*. Égouttez-les et remettez-les dans la casserole, en les gardant au chaud.

3. Battez les œufs, le fromage et la crème, puis ajoutez le lard. Versez sur les pâtes dans la casserole et remuez délicatement pour bien mélanger.

4. Remettez la casserole sur le feu et laissez cuire 30 secondes à 1 minute à petit feu, jusqu'à ce que le mélange épaississe. Servez poivré et décoré de brins de fines herbes.

Avec un couteau, enlevez la couenne du lard, puis coupez le lard en fines lanières.

Faites cuire le lard dans une grande poêle à feu moyen, jusqu'à ce qu'il croustille.

Mettez les pâtes dans une grande casserole d'eau bouillante et faites cuire al dente.

Versez la sauce sur les pâtes chaudes et remuez doucement pour bien mélanger.

~ Spaghettis marinière ~

Temps de préparation :
**40 minutes + 2 heures
de marinade**
Temps de cuisson :
50 minutes

Pour 4 à 6 personnes

1. Laissez tremper
2 heures, dans de l'eau
froide, les moules
nettoyées ; sortez-les et
débarrassez-vous des
moules abîmées ou
ouvertes.
**2. Préparez la sauce
tomate :** Mettez l'huile à
chauffer dans une poêle
moyenne. Ajoutez
l'oignon et la carotte et
faites revenir 10 minutes à
feu moyen, afin que les
légumes dorent un peu.
Mettez le piment, l'ail, les
tomates, 1/2 tasse de vin
blanc, le sucre et le poivre
de Cayenne ; laissez
mijoter 30 minutes, à
découvert, en remuant de
temps en temps.
3. Pendant ce temps, faites
chauffer le 1/4 de tasse de
vin supplémentaire, le
bouillon et le reste d'ail
dans une grande poêle,
puis ajoutez les moules
fermées. Couvrez la poêle
et secouez-la 3 à 5 minutes
à feu vif. Au bout de 3
minutes, commencez à
sortir les moules ouvertes
et réservez-les. Après 5
minutes, jetez les moules

**12 moules ébarbées,
nettoyées**
Sauce tomate
**2 cuil. à soupe d'huile
d'olive**
1 oignon haché
**1 carotte, épluchée et
finement hachée**
**1 piment rouge, égrainé
et haché**
2 gousses d'ail écrasées
**425 g de tomates en
boîte, écrasées**
**1/2 tasse (125 ml) de vin
blanc**
1 cuil. à café de sucre
**1 pincée de poivre de
Cayenne**
**1/4 de tasse (60 ml)
supplémentaire de vin
blanc**

**1/4 de tasse (60 ml) de
fumet de poisson**
**1 gousse d'ail
supplémentaire,
hachée**
30 g de beurre
**125 g de petits
encornets, émincés**
**125 g de filets de
poisson blancs sans
arêtes, coupés en dés**
**200 g de crevettes
moyennes crues,
décortiquées**
**1/2 tasse de persil frais
haché**
**200 g de clams en boîte,
égouttés**
375 g de spaghettis

non ouvertes et réservez le
mélange au vin.
4. Mettez le beurre à
fondre, ajoutez les
anneaux d'encornets, le
poisson et les crevettes ;
faites sauter 2 minutes,
réservez et gardez au
chaud. Dans la sauce
tomate, ajoutez le mélange
au vin réservé, les moules,
les encornets, le poisson,
les crevettes, le persil et les
clams ; réchauffez
doucement juste au
moment de servir. Mettez
les pâtes dans une
grande casserole
d'eau bouillante
et faites-les cuire
al dente ;
égouttez-les
soigneusement.

Mélangez la sauce aux
pâtes et servez sans
attendre.
Note. De délicieuses
sauces tomate
appartiennent à la grande
tradition culinaire
italienne. On les mélange
souvent à d'autres
ingrédients. Prenez garde à
ne pas trop faire cuire les
fruits de mer, ils
risqueraient de devenir
coriaces.

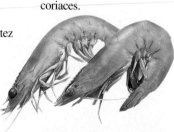

Avant de nettoyer les moules, ébarbez-les.

Nettoyez bien les moules à l'aide d'une petite brosse.

– Rigatonis à l'amatriciana –

Rigatonis au lard épicé et à la sauce tomate

Temps de préparation :
25 minutes
Temps de cuisson :
20 minutes

Pour 4 à 6 personnes

6 fines tranches de pancetta ou 3 tranches de lard	**1 cuil. à soupe d'huile d'olive**
1 kg de tomates rouges mûres pelées	**1 petit oignon, finement haché**
500 g de rigatonis	**2 cuil. à café de piment frais haché**

1. Avec un couteau pointu, hachez finement la pancetta ou le lard. Taillez une petite croix au fond de chaque tomate. Mettez-les dans l'eau bouillante 1 à 2 minutes, puis plongez-les aussitôt dans l'eau froide, juste quelques secondes. Sortez-les de l'eau et, avec un couteau, ôtez délicatement la peau, en partant de l'entaille. Hachez grossièrement la chair de tomate.
2. Plongez les rigatonis dans une casserole d'eau bouillante et faites-les cuire *al dente*. Égouttez-les, et remettez-les dans la casserole ; gardez au chaud.
3. Environ 6 minutes avant que les rigatonis soient cuits, faites chauffer l'huile dans une grande poêle. Mettez la pancetta, l'oignon et le piment ; faites revenir 3 minutes à feu moyen. Ajoutez les tomates, le sel et le poivre, à volonté. Baissez le feu et laissez mijoter 3 minutes de plus. Versez la sauce sur les pâtes et remuez pour bien mélanger. Servez aussitôt dans des assiettes individuelles chaudes. Décorez, si vous le désirez, de copeaux de parmesan et de poivre noir fraîchement moulu.

Note. On raconte que ce plat est originaire d'Amatrice, où le bacon est l'un des premiers produits locaux. Pour changer des tomates classiques, vous pouvez utiliser dans cette recette des tomates fraîches de Rome ou des olivettes. Chair ferme, peu de pépins et un parfum puissant quand elles cuisent, ces tomates sont idéales pour les sauces, et très souvent utilisées dans la cuisine italienne. Vous les trouverez dans certains supermarchés ou chez des marchands de légumes.

Avec un grand couteau pointu, hachez finement la pancetta ou le lard.

Mettez les tomates 1 à 2 minutes dans l'eau bouillante afin de pouvoir les peler.

Plongez les rigatonis dans une casserole d'eau bouillante et faites cuire al dente.

Dans la casserole, ajoutez les tomates au bacon, à l'oignon et au piment.

~ Spaghettis napolitains ~

Temps de préparation :
20 minutes
Temps de cuisson :
55 minutes

Pour 4 à 6 personnes

1 oignon moyen
1 carotte moyenne
épluchée
1 branche de céleri
2 cuil. à soupe d'huile
d'olive
500 g de tomates cuites
très mûres
1/2 tasse (125 ml) d'eau

2 cuil. à soupe de persil
frais haché
2 cuil. à café de sucre
Sel et poivre noir
fraîchement moulu
500 g de spaghettis
Brins de fines herbes
fraîches, pour décorer

1. Hachez l'oignon, la carotte et le céleri. Mettez l'huile à chauffer dans une grande casserole et ajoutez l'oignon, la carotte et le céleri. Couvrez et laissez cuire les légumes, 10 minutes à petit feu, en remuant de temps en temps ; attention à ne pas laisser les légumes se colorer (ce procédé, appelé « faire suer », fait ressortir le parfum des légumes).
2. Hachez les tomates et ajoutez-les aux légumes ; versez l'eau, incorporez le persil et le sucre. Portez la sauce à ébullition, baissez le feu, couvrez, et laissez

mijoter 45 minutes, en remuant de temps en temps. Assaisonnez de sel et de poivre noir fraîchement moulu. Si la sauce épaissit trop, rajoutez 1/2 à 3/4 de tasse d'eau jusqu'à obtention de la consistance désirée.
3. 15 minutes avant de servir, plongez les spaghettis dans une casserole d'eau bouillante et faites-les cuire *al dente*. Égouttez et remettez-les dans la casserole. Versez sur les pâtes environ les 2/3 de la sauce, et servez dans des assiettes chaudes individuelles ou dans un

plat. Si vous le souhaitez, décorez de brins de fines herbes. Servez le reste de sauce à table, dans une saucière.
Note. La sauce de cette recette est typique des sauces tomate traditionnelles napolitaines. Laissez cuire la sauce plus longtemps, pour la faire réduire et l'épaissir ; vous obtiendrez ainsi une version concentrée. Conservez-la au réfrigérateur et allongez-la avec du bouillon ou de l'eau pour la diluer, si nécessaire, lors d'une prochaine utilisation.

Avec un couteau pointu, et au début, hachez les oignons, la carotte et le céleri.

Faites suer les légumes dans une casserole couverte, en remuant de temps en temps.

Ajoutez aux légumes les tomates hachées, l'eau, le persil et le sucre.

Moulez directement le poivre noir au-dessus de la sauce en train de cuire.

- Lasagnes classiques -

Temps de préparation :
40 minutes
Temps de cuisson :
1 h 40 mn

Pour 6 à 8 personnes

2 cuil. à soupe d'huile d'olive
30 g de beurre
1 gros oignon finement haché
1 carotte moyenne, finement hachée
1 branche de céleri finement hachée
500 g de bœuf haché
150 g de foies de poulet, finement hachés
1 tasse (250 ml) de concentré de tomates
1 tasse (250 ml) de vin rouge
Sel et poivre

2 cuil. à soupe de persil frais haché
375 g de feuilles de lasagnes fraîches

Sauce béchamel
60 g de beurre
1/3 de tasse (40 g) de farine
2 tasses 1/4 (550 ml) de lait
Sel et poivre
1/2 cuil. à café de noix muscade
1 tasse (100 g) de parmesan fraîchement râpé

1. Dans une poêle, mettez l'huile et le beurre à chauffer et faites-y fondre l'oignon, la carotte et le céleri à feu moyen, en remuant sans arrêt. Augmentez le feu, ajoutez la viande et faites-la dorer, en détachant les blocs de viande à la fourchette. Ajoutez les foies de poulet et faites-les cuire jusqu'à ce qu'ils changent de couleur. Incorporez le concentré de tomates, le vin, le persil, le sel et le poivre, à volonté. Portez à ébullition, baissez le feu et faites mijoter 45 minutes, à découvert ; réservez.

2. La sauce béchamel :
Mettez le beurre à fondre dans une casserole moyenne à petit feu ; lorsqu'il mousse, ajoutez la farine. Laissez cuire 2 minutes, en remuant sans arrêt. Sortez la casserole du feu et incorporez peu à peu le lait, sans cesser de remuer. Remettez sur le feu et portez à ébullition, en remuant sans arrêt,

afin que la sauce épaississe. Laissez mijoter 2 minutes. Assaisonnez de sel, de poivre et de noix muscade. Posez un film plastique sur la sauce pour éviter qu'une peau se forme à la surface.

3. Coupez les feuilles de lasagne à la taille d'un plat à gratin profond, rectangulaire. Certaines lasagnes nécessitent une pré-cuisson des feuilles ; les plonger 1 à 2 minutes dans l'eau bouillante suffit à les ramollir. Égouttez-les ensuite sur du papier absorbant. La plupart s'utilisent sans ; reportez-vous aux instructions du fabricant.

4. L'assemblage :
Préchauffez le four à 180° C ; beurrez bien votre plat. Déposez une

mince couche de sauce à la viande sur le fond, et recouvrez d'une mince couche de béchamel. Si votre béchamel a refroidi et épaissi, réchauffez-la doucement pour mieux l'étaler. Recouvrez de feuilles de lasagnes, en pressant un peu pour chasser l'air. Renouvelez l'opération, et terminez par la béchamel. Saupoudrez de parmesan et mettez à gratiner au four 35 à 40 minutes. Attendez 15 minutes avant de les découper.

Note. Vous pouvez utiliser un paquet de 375 g de lasagnes précuites à la place des lasagnes fraîches. Reportez-vous aux instructions du fabricant – la plupart des feuilles de lasagne s'utilisent sans précuisson.

Ajoutez les foies de poulet hachés aux
légumes et au bœuf haché.

Coupez les feuilles de lasagnes aux ciseaux
pour bien les ajuster à votre plat.

– Cannellonis aux épinards et à la ricotta –

Temps de préparation :
1 heure
Temps de cuisson :
1 h 15 mn

Pour 4 à 6 personnes

375 g de feuilles de lasagne fraîches	*Sauce tomate*
2 cuil. à soupe d'huile d'olive	**1 cuil. à soupe d'huile d'olive**
1 gros oignon finement haché	**1 oignon moyen haché**
1 à 2 gousses d'ail écrasées	**2 gousses d'ail, finement hachées**
2 gros bouquets d'épinards, finement hachés	**500 g de tomates mûres cuites, hachées**
650 g de ricotta fraiche, battue	**1/2 tasse d'eau**
2 œufs battus	**2 cuil. à soupe de concentré de tomates**
1/4 cuil. à café de noix muscade fraîchement moulue	**2 cuil. à soupe de sucre roux doux**
Sel et poivre	**Sel et poivre**
	150 g de mozzarella râpée

1. Coupez les feuilles de lasagne en 15 morceaux égaux. Découpez-les dans le sens de la longueur, afin qu'elles s'ajustent parfaitement, quand vous les farcirez, à un plat à gratin rectangulaire, à bords hauts. Portez une grande casserole d'eau à ébullition. Faites cuire, pour les ramollir, 1 à 2 feuilles de lasagne à la fois. L'indication du temps de cuisson dépend du type et de la marque de vos lasagnes ; comptez en principe 2 minutes. Sortez délicatement les feuilles à l'aide de 2 spatules, ou de cuillères en bois, et déposez-les sur un torchon propre et humide. N'utilisez pas de pinces pour cette opération ; elles pourraient déchirer les feuilles. Portez de nouveau l'eau à ébullition, et répétez l'opération avec le reste des lasagnes.
2. Mettez l'huile à chauffer dans une grande

poêle. Faites dorer l'oignon et l'ail, en remuant régulièrement. Ajoutez les épinards lavés et laissez cuire 2 minutes ; recouvrez d'un couvercle qui ferme bien, et laissez cuire les épinards, 5 minutes à l'étouffée. Séchez-les dans un égouttoir ou une fine passoire, en enlevant autant d'eau que possible. Si les épinards ne sont pas tout à fait secs, ils ramolliront les pâtes. Mélangez-les avec la ricotta, les œufs, la noix muscade ; assaisonnez de sel et de poivre. Mélangez bien et réservez.
3. La sauce tomate :
Mettez l'huile à chauffer

dans une poêle et faites revenir 10 minutes l'oignon et l'ail à petit feu, en remuant de temps en temps. Ajoutez les tomates hachées et leur jus, l'eau, le concentré de tomates, le sucre, le sel et le poivre. Portez la sauce à ébullition, baissez le feu et laissez mijoter 10 minutes. Si vous désirez une sauce onctueuse, passez-la au robot ménager jusqu'à obtention de la consistance désirée.
4. Préchauffez le four à 180°C et graissez légèrement votre plat. Versez un tiers de la sauce tomate au fond du plat. Déposez 2 cuillères 1/2 à soupe du mélange

aux épinards au centre
d'une feuille de lasagne,
sans en mettre au bord.
Roulez la feuille et
déposez-la, côté joint,
dans le plat. Égalisez les
cannellonis en enlevant la
farce qui dépasse. Répétez
l'opération avec les autres

lasagnes et la garniture.
Versez le reste de sauce
tomate sur les cannellonis,
saupoudrez de fromage.
Gratinez au four 30 à 35
minutes. Réservez
10 minutes avant de
servir. Décorez de brins
de fines herbes fraîches.

Note. Vous pouvez
utiliser des cannellonis en
tubes déjà prêts à la place
de lasagnes fraîches.
La consistance de la pâte
sera plus ferme, mais le
plat sera toujours
excellent.

– Raviolis au poulet –

Temps de préparation :
45 minutes
+ 30 minutes à reposer
Temps de cuisson :
2 h 45 mn

Pour 4 personnes

**1. Préparation de
la pâte :** Tamisez la farine
et le sel dans un saladier ;
creusez un puits au centre
de ce mélange. Battez les
œufs avec l'huile et l'eau ;
versez peu à peu dans la
farine et mélangez jusqu'à
obtention d'une boule.
Pétrissez la pâte sur une
surface farinée pendant 5
minutes, jusqu'à ce
qu'elle soit souple et
élastique. Posez-la dans
un bol huilé, recouvrez
d'un film plastique et
réservez 30 minutes.
**2. Préparation de la
garniture :** Dans un robot
ménager, mettez le hachis
de poulet, la ricotta ou le
fromage blanc, les foies, le
prosciutto, le salami, le
parmesan, l'œuf, le persil,
l'ail, les épices, le sel et le
poivre. Mixez pour hacher
le tout finement.
**3. Préparation de la
sauce :** Mettez l'huile à
chauffer dans la poêle.
Ajoutez l'oignon et l'ail,
et faites fondre à petit feu.
Augmentez le feu, ajoutez
les tomates égouttées, le
basilic, les herbes, le sel et

Pâte
**2 tasses (250 g) de
farine**
1 pincée de Sel
3 œufs
**1 cuil. à soupe d'huile
d'olive**
1 cuil. à soupe d'eau
**1 jaune d'œuf
supplémentaire**
**1/4 de tasse (60 ml)
d'eau supplémentaire**

Farce
125 g de poulet haché
**75 g de ricotta ou de
fromage frais**
**60 g de foies de poulet,
dégraissés et hachés**
**30 g de prosciutto
haché**
**1 tranche de salami
haché**
**2 cuil. à soupe de
parmesan râpé**
1 œuf battu

**1 cuil. à soupe de persil
frais haché**
1 gousse d'ail écrasée
**1/4 de cuil. à café
d'épices variées**
**Sel et poivre noir
fraîchement moulu**

Sauce tomate
**2 cuil. à soupe d'huile
d'olive**
**1 oignon finement
haché**
2 gousses d'ail écrasées
**2 boîtes de 425 g de
tomates écrasées**
**3 cuil. à soupe de basilic
frais haché**
**1/2 cuil. à café d'un
mélange de fines
herbes déshydratées**
Sel et poivre
**Brins de fines herbes
fraîches, facultatif**

le poivre. Portez à
ébullition ; baissez le feu
et laissez mijoter
15 minutes ; sortez du feu.
4. Prenez la moitié de la
pâte, abaissez-la sur 1 mm
d'épaisseur. Coupez des
bandes de 10 cm de large.
Tous les 5 cm, sur la
moitié de chaque bande,
déposez une cuillère à
café de farce. Battez le
reste de jaune d'œuf et
d'eau, badigeonnez-en la
pâte laissée sans farce.
Repliez la pâte et
refermez. Répétez

l'opération avec le reste de
farce et de pâte. Pressez
soigneusement les bords
pour bien les sceller.
Coupez la pâte entre
chaque tas de farce avec
un couteau ou une roulette
dentelée. Faites cuire 10
minutes par fournées dans
une grande casserole
d'eau bouillante.
Réchauffez la sauce dans
une casserole. Ajoutez les
raviolis. Remuez pour les
mélanger à la sauce.
Décorez d'herbes fraîches
et servez.

Mettez tous les ingrédients destinés à la garniture dans le robot ménager.

Utiliser une roulette dentelée pour découper les raviolis farcis.

– Tagliatelles au pesto –

Temps de préparation :
10 minutes
Temps de cuisson :
15 minutes

Pour 4 à 6 personnes

500 g de tagliatelles
3 cuil. à soupe de
pignons
2 tasses de feuilles de
basilic frais, lavées,
égouttées
2 gousses d'ail écrasées
1/2 cuil. à café de sel
3 cuil. à soupe de

parmesan fraîchement
râpé
2 cuil. à soupe de
pecorino fraîchement
râpé, facultatif
1/2 tasse (125 g) d'huile
d'olive
Poivre noir fraîchement
moulu

1. Plongez les pâtes dans une grande casserole d'eau bouillante, et faites-les cuire *al dente* ; égouttez-les bien dans une passoire et remettez-les dans la casserole.
2. Environ 5 minutes avant que les pâtes soient cuites, mettez les pignons dans une grande poêle et faites-les dorer 2 à 3 minutes, à petit feu. Laissez refroidir.
3. Mettez les pignons, les feuilles de basilic, l'ail et le sel dans un robot ménager ; mixez 10 secondes. Raclez bien les bords du bol de votre robot, afin d'incorporer la totalité des ingrédients dans la sauce.

4. Ajoutez dans le bol du robot le parmesan râpé et le pecorino (si vous en utilisez) ; mixez 10 secondes de plus. Tout en mixant, versez goutte à goutte l'huile d'olive, en un fin filet, jusqu'à obtention d'une pommade. Assaisonnez de poivre noir fraîchement moulu. Versez la sauce pesto sur les pâtes chaudes, dans votre poêle, et remuez délicatement pour bien enrober les pâtes. Décorez de brins

de fines herbes si vous le souhaitez, et servez aussitôt.
Note. Cette sauce traditionnelle s'utilise avec n'importe quelles pâtes, et se conserve très bien au réfrigérateur, dans un pot hermétique, plus d'une semaine.

Plongez les tagliatelles dans une casserole d'eau bouillante.

Faites revenir doucement les pignons à la poêle, en remuant sans arrêt.

Utilisez une spatule en caoutchouc pour décrocher tous les ingrédients collés au bol .

Ajoutez goutte à goutte l'huile dans le bol jusqu'à obtention d'une pommade.

~ Fettucines primavera ~
Fettucines aux légumes de printemps et à la crème

Temps de préparation :
35 minutes
Temps de cuisson :
15 minutes

Pour 4 à 6 personnes

500 g de fettucines
1 bouquet d'asperges fraîches
1 tasse (155 g) de fèves surgelées
30 g de beurre
1 branche de céleri, émincée
1 tasse de petits pois
1 tasse 1/4 (315 ml) de crème
1/2 tasse (50 g) de parmesan fraîchement râpé
Sel et poivre
Brins de fines herbes, facultatifs

1. Plongez les pâtes dans une grande casserole d'eau bouillante et faites-les cuire *al dente*. Égouttez-les dans une passoire, remettez-les dans la casserole, en les gardant au chaud.

2. Pendant que les pâtes cuisent, coupez les asperges en petits morceaux. Portez une casserole d'eau moyenne à ébullition, mettez les asperges et laissez cuire 2 minutes. Avec une écumoire, sortez les asperges de la casserole et posez-les dans un bol d'eau glacée.

3. Plongez les fèves dans une casserole moyenne d'eau bouillante. Sortez-les immédiatement et rafraîchissez-les dans l'eau froide. Égouttez, épluchez et jetez les peaux coriaces. Si vous utilisez des fèves fraîches, faites-les cuire 2 à 5 minutes pour les attendrir. Si elles sont jeunes, la peau s'en ira toute seule, sinon vous devrez les peler.

4. Mettez le beurre à fondre dans une grande poêle. Ajoutez le céleri et faites revenir 2 minutes. Incorporez les petits pois et la crème, et laissez cuire doucement 3 minutes. Ajoutez les asperges, les fèves, le parmesan, le sel et le poivre, à volonté. Portez la sauce à ébullition et laissez mijoter 1 minute ; versez sur les fettucines cuites, remuez bien pour mélanger. Servez aussitôt dans des bols à pâtes chauds. Si vous le désirez, décorez de brins de fines herbes fraîches .

Note. Vous pouvez à votre gré utiliser n'importe quel légume de printemps dans cette recette traditionnelle : poireaux, courgettes, haricots, mange-tout ou petits pois nouveaux.

Ôtez les queues des asperges et coupez les tiges en petits morceaux.

Plongez les asperges cuites dans un bol d'eau glacée.

Pelez les fèves après les avoir sorties de l'eau bouillante.

Mettez les asperges, les fèves et le parmesan dans la poêle.

- Spaghettis à la puttanesca -

Spaghettis aux câpres, aux olives et aux anchois

Temps de préparation :
15 minutes
Temps de cuisson :
20 minutes

Pour 4 à 6 personnes

500 g de spaghettis
2 cuil. à soupe d'huile d'olive
3 gousses d'ail écrasées
2 cuil. à soupe de persil frais haché
1/4 à 1/2 cuil. à café de piment, en flocons ou en poudre
2 boîtes de 425 g de tomates écrasées
1 cuil. à soupe de câpres
3 filets d'anchois hachés
3 cuil. à soupe d'olives noires
Poivre noir
Parmesan râpé

1. Plongez les spaghettis dans une grande casserole d'eau bouillante. Faites-les cuire *al dente*, et égouttez-les dans une passoire ; remettez-les dans la casserole et gardez-les au chaud.
2. Pendant que les pâtes cuisent, mettez l'huile à chauffer dans une grande poêle. Ajoutez l'ail, le persil et le piment et laissez cuire 1 minute, à feu moyen, en remuant sans arrêt.
3. Ajoutez dans la poêle les tomates égouttées et écrasées (voir note), portez à ébullition, baissez le feu, et laissez mijoter 5 minutes, couvert.
4. Incorporez les câpres, les anchois et les olives ; laissez cuire 5 minutes de plus, en remuant. Assaisonnez

de poivre noir et remuez pour bien mélanger. Versez la sauce sur les pâtes et remuez délicatement pour bien la répartir. Servez aussitôt dans des bols à pâtes chauds, saupoudrez de parmesan fraîchement râpé.
Note. Vous pouvez écraser les tomates en les laissant dans leur boîte, et les hacher avec une paire de ciseaux. Sinon, égouttez-les, réservez leur jus, et hachez-les sur une planche à découper. Dans cette recette, vous pouvez utiliser des fettucines à la place des spaghettis.

Égouttez les pâtes dans une passoire et remettez-les dans la casserole.

Mettez l'ail, le persil et le piment dans une grande poêle.

*Versez les tomates écrasées dans la poêle,
avec le mélange à l'ail.*

*Incorporez câpres, anchois et olives dans la
poêle, et laissez cuire 5 minutes, en remuant.*

~ Gnocchis à la romaine ~
Gnocchis à la semoule et sauce riche au fromage

Temps de préparation :
**15 minutes + 1 heure au
réfrigérateur**
Temps de cuisson :
40 minutes

Pour 4 personnes

3 tasses (750 ml) de lait	1/2 tasse (125 ml) de crème
1/4 de cuil. à café de noix muscade moulue	1/2 tasse (75 g) de mozzarella fraîchement râpée
Sel et poivre noir fraîchement moulu	1/4 de cuil. à café de noix muscade supplémentaire, râpée
2/3 de tasse (85 g) de semoule	Brins de fines herbes fraîches, facultatifs pour décorer)
1 œuf battu	
1 1/2 tasse de parmesan fraîchement râpé	
60 g de beurre (ou de margarine) fondu	

1. Recouvrez de papier sulfurisé un moule à gâteau roulé (29 x 19 x 3). Mettez le lait, la noix muscade, le sel et le poivre noir fraîchement moulu dans une poêle moyenne. Portez à ébullition, baissez le feu, et versez doucement la semoule. Laissez cuire 5 à 10 minutes, en remuant de temps en temps, jusqu'à ce que la semoule prenne.
2. Sortez la poêle du feu, ajoutez l'œuf et une tasse de parmesan ; mélangez bien. Nappez le fond du moule avec la préparation ; laissez 1 heure au réfrigérateur, jusqu'à ce que la semoule soit bien saisie.
3. Préchauffez votre four à 180°C. Découpez la semoule à l'aide d'un emporte-pièce de 4 cm de diamètre ; disposez les morceaux dans un plat peu profond graissé.
4. Versez sur les morceaux de semoule le beurre fondu, puis la crème. Mélangez le reste de parmesan râpé avec la mozzarella ; saupoudrez-en les ronds de semoule. Recouvrez de noix muscade. Mettez à cuire 20 à 25 minutes, jusqu'à ce que la préparation dore. Si vous le souhaitez, servez décoré de brins de fines herbes fraîches.

Note.
Certains affirment que ce plat remonte à l'époque impériale romaine, d'où son nom de « gnocchi alla romana ».

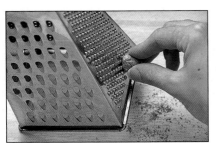

*Râpez finement une noix entière
sur une râpe en métal.*

*Laissez cuire, en remuant de temps en
temps, jusqu'à ce que la semoule prenne.*

Utilisez un emporte-pièce pour découper des ronds dans la semoule.

Mélangez les fromages râpés et saupoudrez-en les ronds de semoule.

- Spaghettis vongole -
Spaghettis à la sauce aux palourdes

Temps de préparation :
25 minutes + marinade
Temps de cuisson :
20 à 35 minutes

Pour 4 personnes

1 kg de palourdes fraîches dans leur coquille ou 750 g de palourdes en boîte	3 gousses d'ail écrasées
	2 boîtes de 425 g de tomates
1 cuil. à soupe de jus de citron	Poivre noir fraîchement moulu
1/3 de tasse (80 ml) d'huile d'olive	4 cuil. à soupe de persil frais haché
	250 g de spaghettis

1. Si vous utilisez des palourdes fraîches, nettoyez-les soigneusement (voir note). Mettez-les dans une grande casserole, avec le jus de citron. Couvrez et agitez la casserole, à feu moyen, pendant 7 à 8 minutes, jusqu'à ouverture des coquilles ; jetez les palourdes non ouvertes. Sortez la chair des coquilles et réservez ; jetez les coquilles vides. Si vous utilisez des palourdes en conserve, égouttez-les, séchez-les, rincez-les et réservez.
2. Mettez l'huile à chauffer dans une grande poêle. Ajoutez l'ail, et laissez cuire 5 minutes à petit feu. Incorporez les tomates, non égouttées et écrasées ; remuez pour bien mélanger. Portez à ébullition et laissez mijoter 20 minutes à couvert. Assaisonnez de poivre noir fraîchement moulu ; mettez les clams et faites réchauffer.
3. Pendant que la sauce cuit, portez une casserole d'eau à ébullition. Plongez-y les spaghettis et faites-les cuire *al dente* ; égouttez dans une passoire et remettez-les dans la casserole. Versez la sauce et le persil haché, et remuez doucement pour mélanger. Disposez dans un plat à service et servez aussitôt. Décorez de baies de câpres et d'une tranche de citron lors de grandes occasions.
Note. Pour nettoyer les palourdes, vous devez enlever tout le sable et les gravillons des coquilles. Mélangez 2 cuillères à soupe de sel et de farine complète avec un peu d'eau pour obtenir une pommade. Versez cette préparation dans un grand seau, ou un saladier d'eau froide, et faites-y tremper les palourdes, toute une nuit. Égouttez et grattez bien les coquilles ; rincez-les abondamment et égouttez-les à nouveau.

Si vous utilisez des palourdes en conserve, égouttez-les et rincez-les abondamment.

Ajoutez les palourdes et le poivre noir fraîchement moulu à la sauce.

Plongez les spaghettis dans une grande casserole d'eau bouillante.

Rajoutez la sauce aux palourdes et le persil aux pâtes chaudes, dans la casserole.

~ Fettucines boscaiola ~

Fettucines aux champignons et à la sauce tomate

Temps de préparation :
20 minutes
Temps de cuisson :
25 minutes

Pour 4 à 6 personnes

500 g de champignons de Paris
1 gros oignon
2 cuil. à soupe d'huile d'olive
2 gousses d'ail, finement hachées
2 boîtes de 425 g de tomates,
grossièrement hachées
500 g de fettucines
2 cuil. à soupe de persil frais haché
Sel et poivre noir fraîchement moulu
Brins de fines herbes pour décorer, facultatifs

1. Nettoyez délicatement les champignons avec un papier absorbant, pour enlever tout le sable. Découpez les champignons, queues comprises, en fines lamelles.
2. Hachez l'oignon grossièrement. Mettez l'huile à chauffer dans une grande poêle. Faites revenir 6 minutes l'oignon et l'ail à feu moyen, en remuant de temps en temps, jusqu'à ce que les légumes aient légèrement doré. Ajoutez les tomates et leur jus ainsi que les champignons ; portez à ébullition. Baissez le feu,

couvrez et laissez mijoter environ 15 minutes.
3. Entre-temps, portez une casserole d'eau à ébullition. Versez-y un filet d'huile. Plongez les fettucines et faites-les cuire al dente. Égouttez-les bien et gardez-les au chaud.
4. Mettez le persil dans la sauce et assaisonnez de sel et de poivre. Versez la sauce sur les pâtes chaudes et remuez délicatement pour bien mélanger. Servez dans des bols individuels, décorez de fines herbes fraîches.

Note. Pour obtenir une sauce crémeuse, ajoutez 125 ml de crème quand vous mettez le persil (ne refaites pas bouillir, cela pourrait cailler la sauce). *Boscaiola* en italien signifie « bûcheron » – la cueillette des champignons fait en effet partie de la vie dans les bois.

Nettoyez les champignons avec du papier absorbant pour enlevez tout le sable.

Utilisez un grand couteau pointu pour hacher grossièrement le gros oignon.

Mettez les tomates hachées et les lamelles de champignons dans la poêle.

Versez un fin filet d'huile dans l'eau bouillante.

– Fusillis polpettine –

Fusillis aux boulettes de viande

Temps de préparation :
25 minutes
Temps de cuisson :
35 minutes

Pour 4 personnes

1. Hachez le pain au mixeur pour obtenir de la chapelure. Épluchez l'oignon et hachez-le finement. Malaxez à la main, dans un grand saladier, les hachis, la chapelure, le parmesan, l'oignon haché, le persil, l'œuf, l'ail, le zeste de citron et son jus, le sel et le poivre. Avec cette préparation, formez des boulettes à l'aide d'une cuillère à soupe, puis roulez-les dans la farine assaisonnée.
2. Mettez l'huile à chauffer dans une grande poêle et faites sauter les boulettes par fournées, pour qu'elles dorent. Sortez-les de la poêle,

3 à 4 tranches de pain blanc
1 oignon
750 g de hachis de veau et de porc, ou de bœuf haché
1/4 de tasse (25 g) de parmesan fraîchement râpé
2 cuil. à soupe de persil frais haché
1 œuf battu
1 gousse d'ail écrasée
Zeste et jus d'un demi-citron
Sel et poivre noir fraîchement moulu
1/4 de tasse (30 g) de farine assaisonnée

2 cuil. à soupe d'huile d'olive
500 g de fusillis
Copeaux de parmesan, pour décorer
Poivre noir fraîchement moulu
Sauce
425 g de concentré de tomates en boîte
1/2 tasse (125 ml) de bouillon de bœuf
1/2 tasse (125 ml) de vin rouge
2 cuil. à soupe de feuilles de basilic frais haché
1 gousse d'ail écrasée
Sel et poivre noir fraîchement moulu

égouttez-les sur du papier absorbant et réservez. Jetez l'excès de graisse et de jus restés dans la poêle.
3. Préparer la sauce : Mélangez dans une casserole le concentré de tomates, le bouillon, le vin, le basilic, l'ail, le sel et le poivre, et portez à ébullition.
4. Baissez le feu et remettez les boulettes dans la casserole. Faites mijoter 10 à 15 mn. Pendant ce temps, plongez les fusillis dans une casserole d'eau bouillante et faites-les cuire *al dente* ; égouttez. Servez avec la sauce .

Mixez le pain au robot ménager pour obtenir de la chapelure.

Malaxez à la main les hachis aux autres ingrédients.

Mettez l'huile à chauffer dans la poêle
et faites sauter les boulettes.

Remettez les boulettes dans la casserole,
laissez mijoter doucement dans la sauce.

- Fusillis à la sauce aux fèves -

Temps de préparation :
30 minutes
Temps de cuisson :
25 minutes

Pour 4 à 6 personnes

500 g de fusillis ou de pennes
2 tasses (310 g) de fèves surgelées
4 tranches de lard
2 poireaux moyens
2 cuil. à soupe d'huile d'olive
1 tasse 1/4 de crème
2 cuil. à café de zeste de citron
Sel et poivre

1. Plongez les pâtes dans une grande casserole d'eau bouillante et faites-les cuire *al dente* ; égouttez-les et remettez-les dans la casserole, en les gardant au chaud. Pendant que les pâtes cuisent, plongez les fèves dans une casserole moyenne d'eau bouillante. Sortez-les, égouttez-les et plongez-les immédiatement dans l'eau froide. Égouttez, laissez refroidir, et enlevez les peaux trop coriaces (voir note).
2. Découpez et jetez la couenne des tranches de lard. Hachez-les en petits morceaux. Enlevez et

jetez les premières feuilles et la partie vert foncé des poireaux. Lavez-les bien pour les débarasser de toutes impuretés et émincez-les.
3. Mettez l'huile à chauffer dans une grande poêle. Ajoutez les poireaux et le lard ; laissez dorer 8 minutes, à feu moyen, en remuant de temps en temps. Ajoutez la crème et le zeste de citron ; faites cuire 2 minutes. Incorporez les fèves, salez et poivrez.
4. Versez la sauce sur les pâtes et remuez pour bien mélanger. Servez aussitôt dans des bols à pâtes chauds.

Note. Les fèves peuvent être cuites et épluchées à l'avance. Conservez-les au réfrigérateur dans un récipient hermétique. Pour les éplucher, coupez le haut et faites glisser les fèves à l'extérieur. Enlevez la première peau trop coriace qui altérerait la délicate saveur et le doux parfum de ce plat – mieux vaut faire l'effort de les éplucher. Vous pouvez aussi utiliser des fèves fraîches. Si elles sont jeunes, laissez-leur la peau. Par contre, des fèves arrivées à maturité devront être pelées avant d'être cuites – 15 minutes – et incorporées au plat.

Quand elles sont refroidies, enlevez la première peau des fèves.

Enlevez délicatement les feuilles externes et les parties vert sombre du poireau.

Nettoyez soigneusement les poireaux
et émincez-le avec un couteau pointu.

Dans la poêle, ajoutez la crème et le zeste
de citron au poireau et au lard.

– Linguines aux anchois, câpres et olives –

Temps de préparation :
15 minutes
Temps de cuisson :
20 minutes

Pour 4 personnes

1/2 tasse (60 g) d'olives noires piquantes	**3 cuil. à soupe de câpres**
3 cuil. à soupe d'olives vertes piquantes	**1/4 tasse (60 ml) de vin blanc sec**
500 g de linguines	**3 cuil. à soupe de persil frais haché ou de basilic**
2 cuil. à soupe d'huile d'olive	**Poivre noir fraîchement moulu**
2 gousses d'ail, écrasées	**90 g d'anchois en boîte, égouttés et hachés**
2 tomates, épluchées et hachées	

1. Hachez finement les olives. Plongez les linguines dans une grande casserole d'eau bouillante et faites-les cuire *al* ; égouttez-les bien, remettez-les dans la casserole et gardez-les au chaud.
2. Pendant que les pâtes cuisent, mettez l'huile à chauffer dans une grande poêle. Ajoutez l'ail et faites revenir 1 minute, à petit feu. Incorporez les tomates, les câpres et les olives ; laissez cuire 2 minutes.
3. Rajoutez le vin, le persil ou le basilic, et le poivre ; remuez. Portez à ébullition, baissez le feu, et laissez mijoter 5 minutes, à découvert. Sortez du feu. Ajoutez les anchois dans la poêle et mélangez délicatement.
4. Versez cette sauce dans la casserole, sur les pâtes ; remuez pour bien mélanger le tout. Servez aussitôt.
Note. Pour changer, ou lors de grandes occasions, vous pouvez servir ce plat avec la garniture suivante. Mettez un peu d'huile d'olive à chauffer dans une petite poêle et versez un peu de chapelure fraîche, ainsi qu'une gousse d'ail écrasée. Faites sauter et revenir ce mélange ; saupoudrez-en les pâtes avec du parmesan fraîchement râpé.

Avec un grand couteau pointu, hachez finement les olives piquantes.

Dans la poêle, ajoutez à l'ail, les câpres et les olives.

*Mettez ensuite le vin blanc,
le persil haché et le poivre.*

Mélangez bien les linguines et la sauce.

Gnocchis de pomme de terre, sauce tomate et basilic

Temps de préparation :
1 heure
Temps de cuisson :
45 à 50 minutes

Pour 4 à 6 personnes

Sauce tomate	1/2 tasse (30 g) de basilic frais haché
1 cuil. à soupe d'huile d'olive	
1 oignon haché	*Gnocchis de pomme de terre*
1 branche de céleri haché	1 kg de pommes de terre
2 carottes hachées	30 g de beurre
2 boîtes de 425 g de tomates écrasées	2 tasses (250 g) de farine complète
1 cuil. à café de sucre	2 œufs battus
Sel et poivre	Parmesan râpé

1. Préparation de la sauce tomate : Mettez l'huile à chauffer dans une grande poêle. Ajoutez l'oignon haché, le céleri et les carottes. Laissez cuire 5 minutes, en remuant de temps en temps. Ajoutez les tomates, le sucre ; salez et poivrez. Portez à ébullition, puis laissez mijoter 20 minutes. Mixez cette préparation jusqu'à obtention d'un mélange onctueux. Ajoutez le basilic frais ; réservez.

2. Préparation des gnocchis : Épluchez les pommes de terre, hachez-les grossièrement.

Plongez-les dans une casserole d'eau bouillante et laissez-les cuire 15 minutes, à couvert. Égouttez-les et écrasez-les en une purée onctueuse. Avec une cuillère en bois, ajoutez le beurre et la farine, puis battez-y l'œuf. Laissez refroidir.

3. Déposez la préparation froide sur une surface farinée, et divisez-la en deux. Roulez chaque partie pour obtenir la forme d'une longue saucisse. Coupez des

morceaux de 3-4 cm, avec le dos d'une fourchette, pressez les pour leur donner la forme traditionnelle des gnocchis.

4. Portez une casserole d'eau à ébullition, plongez les gnocchis et laissez cuire 3 minutes, jusqu'à ce qu'ils remontent à la surface. Avec une écumoire, sortez-les et déposez-les dans les assiettes. Servez avec la sauce tomate et du parmesan frais râpé.

Mélangez les tomates, le sucre et les aromates aux légumes.

Battez les œufs dans la préparation aux pommes de terre avec une cuillère en bois.

Pressez chaque morceau avec le dos d'une fourchette pour les mettre en forme.

Faites les cuire dans l'eau bouillante jusqu'à ce qu'ils remontent en surface ; égouttez-les.

~ Fusillis all' olio e aglio ~

Fusillis à l'huile et à l'ail

Temps de préparation :
10 minutes
Temps de cuisson :
15 minutes

Pour 4 à 6 personnes

4 gousses d'ail	**3 cuil. à soupe de persil**
500 g de fusillis	**frais haché**
(pâtes en spirale)	**Sel et poivre**
1 tasse (250 ml) d'huile	
d'olive	

1. Hachez finement l'ail ; réservez. Plongez les pâtes dans une casserole d'eau bouillante et faites-les cuire *al dente*. Égouttez-les dans une passoire ; remettez-les dans la casserole et gardez-les au chaud.

2. Environ 5 minutes avant que les pâtes soient cuites, faites chauffer l'huile à petit feu dans une grande poêle. Ajoutez l'ail, et faites-le réduire 30 secondes.
3. Versez l'huile et le mélange à l'ail sur les pâtes chaudes.

Saupoudrez de persil, salez, poivrez, et remuez délicatement pour bien répartir la sauce sur les pâtes. Servez de suite. **Note.** Cette sauce, facile et rapide à réaliser, est délicieuse avec toutes les variétés de pâtes – goûtez-la avec vos pâtes préférées.

~ Fettucines burro ~

Fettucines au beurre

Temps de préparation :
20 minutes
Temps de cuisson :
20 minutes

Pour 4 à 6 personnes

500 g de fettucines	**2 tasses (200 g) de**
200 g de beurre frais	**parmesan frais râpé**
Sel et poivre noir	**2 cuil. à soupe de persil**
fraîchement moulu	**frais haché**

1. Plongez les fettucines dans une casserole d'eau bouillante et faites-les cuire *al dente*. Égouttez-les dans une passoire et gardez-les au chaud.
2. Pendant que les pâtes cuisent, faites chauffer quelques bols à service. Environ 3 minutes avant

que les fettucines soient prêtes, coupez le beurre en petits morceaux. Répartissez également les morceaux de beurre dans les bols. Déposez dessus les pâtes chaudes.
3. Salez et poivrez généreusement. Ajoutez le parmesan et le persil haché ; mélangez le tout délicatement. Servez

aussitôt, décoré d'olives ou de brins de fines herbes fraîches, si vous le souhaitez.
Note. Vous devez ici procéder rapidement ; assurez-vous que les bols et les pâtes soient bien chauds. Cela permettra au beurre de finir de fondre pour faire la sauce.

Fusillis à l'huile et à l'ail (en haut) et fettucines burro.

Spaghettis aux petits pois et aux oignons nouveaux

Temps de préparation :
10 minutes
Temps de cuisson :
15 à 20 minutes

Pour 4 à 6 personnes

500 g de spaghettis ou de vermicelles	**bouillon de poulet maigre ou de bouillon de légumes**
2 bouquets de petits oignons nouveaux	**1/2 tasse (125 ml) de vin blanc**
1 cuil. à soupe d'huile d'olive	**1 tasse (160 g) de petits pois frais écossés**
4 tranches de lards hachées	**Poivre noir fraîchement moulu**
2 cuil. à café de farine complète	**Brins d'origan frais, facultatifs, pour décorer**
1 tasse (250 ml) de	

1. Plongez les pâtes dans une grande casserole d'eau bouillante et faites-les cuire *al dente*. Égouttez-les bien dans une passoire et remettez-les dans la casserole. Pendant que les pâtes cuisent, épluchez les oignons, en laissant un petit bout de tige verte.
2. Mettez l'huile à chauffer dans une grande poêle profonde. Ajoutez le lard haché et les oignons entiers épluchés ; faites revenir et dorer 4 minutes, à petit feu. Saupoudrez légèrement de farine et faites cuire 1 minute.

3. Dans un bol gradué, mélangez le bouillon et le vin, et versez le tout dans la préparation à l'oignon et au lard ; portez à ébullition. Ajoutez les petits pois et laissez cuire 5 minutes, juste pour attendrir les oignons et les petits pois.
4. Moulez le poivre noir sur la sauce. Versez celle-ci sur les pâtes, et remuez pour bien mélanger. Servez dans des bols à pâtes chauds, décorez de brins de fines

herbes fraîches, si vous le souhaitez.
Note. Si vous ne trouvez pas de petits pois frais, prenez des petits pois surgelés.

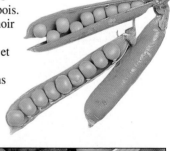

Épluchez les oignons nouveaux, en laissant un petit bout de tige verte.

Ajoutez les oignons et le lard, et faites-les revenir et dorer à petit feu.

Dans un bol gradué, mélangez le bouillon et le vin ; versez sur les oignons et le lard.

Moulez du poivre noir à volonté, directement sur la sauce en train de mijoter.

– Lasagnes aux légumes –

Temps de préparation :
20 minutes
Temps de cuisson :
1 h 15

Pour 6 personnes

1. Préchauffez votre four à 180° C. Huilez un plat à gratin (35 x 28). Coupez les poivrons en quatre, égrainez-les et enlevez la nervure blanche. Déposez les poivrons sur la plaque du gril, côté peau apparent, et badigeonnez-les d'huile. Laissez griller 10 minutes, jusqu'à ce que la peau noircisse. Couvrez d'un torchon humide et laissez refroidir. Épluchez les poivrons et coupez la chair en fines lanières ; réservez. Coupez l'aubergine en rondelles de 1 cm, que vous plongez dans l'eau bouillante. Laissez cuire 1 minute pour les attendrir ; égouttez et séchez-les sur du papier absorbant ; réservez.
2. Mettez l'huile à chauffer dans une grande poêle. Ajoutez l'oignon, l'ail et les herbes. Faites réduire cuire 5 mn, à feu moyen. Incorporez les champignons, et faites cuire 1 mn. Ajoutez les tomates, les haricots, la

3 gros poivrons rouges
2 grosses aubergines
2 cuil. à soupe d'huile d'olive
1 gros oignon haché
3 gousses d'ail écrasées
1 cuil. à café d'un mélange de fines herbes déshydratées
1 cuil. à café d'origan déshydraté
500 g de champignons émincés
440 g de tomates en boîte, écrasées
440 g de haricots nains rouges en boîte, égouttés
1 cuil. à soupe de sauce au piment doux
Sel et poivre

250 g de lasagnes pré-cuites en paquet
1 bouquet d'épinards hachés
1 tasse (30 g) de feuilles de basilic
90 g de tomates séchées, émincées
3 cuil. à soupe de parmesan râpé
3 cuil. à soupe de Cheddar râpé

Sauce au fromage
60 g de beurre
3 cuil. à soupe de farine complète
2 tasses (500 ml) de lait
600 g de ricotta

sauce au piment, le sel et le poivre. Portez à ébullition puis laissez mijoter 15 mn, à découvert, jusqu'à ce que la sauce épaississe. Sortez du feu et réservez.
3. Plongez, si nécessaire, les feuilles de lasagne dans de l'eau chaude, pour les amollir ; disposez 4 feuilles au fond du plat. Déposez la moitié de chaque ingrédients : aubergines, épinards, basilic, poivre, préparation aux champignons et tomates séchées sur les feuilles de lasagne. Recouvrez d'une couche de lasagne et appuyez délicatement.

Renouvelez l'opération en terminant par une couche de lasagne. Nappez de sauce au fromage et saupoudrez des différents fromages râpés. Mettez au four 45 mn, jusqu'à ce que les lasagnes soient tendres.
4. Préparation de la sauce : Mettez le beurre à chauffer dans une poêle et ajoutez la farine. Faites dorer, 2 minutes, à feu moyen. Versez le lait, en remuant, laissez bouillir 1 minute jusqu'à ce que la sauce épaississe. Ajoutez la ricotta et remuer jusqu'à obtention d'une consistance onctueuse.

Enlevez la peau noircie des poivrons grillés.

Ajoutez les tomates, les haricots, la sauce au piment, le sel et le poivre.

- Tortellinis à la crème de champignons -

Temps de préparation :
10 minutes
Temps de cuisson :
8 minutes

Pour 4 personnes

185 g de petits champignons	**1 pincée de noix muscade**
1 petit citron	**3 cuil. à soupe de parmesan râpé**
60 g de beurre	**500 g de tortellinis cuits, égouttés et maintenus au chaud.**
1 gousse d'ail écrasée	
300 ml de crème	
Poivre noir	

1. Émincez finement les champignons entiers. Râpez finement l'écorce de citron. Mettez le beurre à fondre dans une poêle moyenne, et faites cuire les champignons, 30 secondes, à feu doux.

2. Ajoutez l'ail, la crème, le zeste de citron, le poivre noir fraîchement moulu et la noix muscade.
Faites revenir à petit feu, 1 à 2 minutes. Incorporez le parmesan râpé et laissez cuire doucement, 3 minutes de plus.

3. Mettez les tortellinis cuits dans le plat de service. Versez la sauce, et remuez délicatement pour bien mélanger. Servez immédiatement.

Avec un couteau de cuisine, émincez le champignon entier, tige comprise.

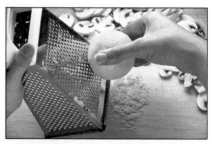

Râpez l'écorce du citron sur la partie la plus fine de votre râpe en métal.

Ajoutez l'ail, la crème, le zeste de citron, le poivre noir et la noix muscade.

Incorporez délicatement le parmesan râpé à la sauce.

- Sauce tomate fraîche -

Temps de préparation :
25 minutes
Temps de cuisson :
15 minutes

Pour 4 à 6 personnes

**1 kg de grosses tomates
mûres
1 cuil. à soupe d'huile
d'olive
2 gousses d'ail écrasées
1 oignon moyen,
finement haché
1/2 tasse (60 g) d'olives**

**noires piquantes,
(facultatif)
2 cuil. à café de sucre
roux doux
1 cuil. à café de vinaigre
de vin rouge
Sel et poivre**

1. Incisez en croix le sommet de chaque tomate que vous plongez 1 à 2 minutes dans de l'eau bouillante, et, immédiatement après dans de l'eau froide. Sortez-les de l'eau et épluchez-les en partant de la croix. Hachez grossièrement la chair.

2. Mettez l'huile à chauffer dans une grande poêle. Ajoutez l'ail et l'oignon, faites cuire 5 minutes à petit feu, en remuant de temps en temps ; laissez refroidir.
3. Lorsque la préparation est froide, ajoutez les tomates, les olives, le sucre et le vinaigre.

Salez et poivrez ; remuez délicatement pour bien mélanger. Servez avec les pâtes de votre choix.
Note. Vous pouvez préparer cette sauce un jour à l'avance. Vous pouvez aussi la réduire en velouté onctueux si vous préférez. Servez à température ambiante.

- Pappardelles au saumon -

Temps de préparation :
15 minutes
Temps de cuisson :
25 minutes

Pour 4 à 6 personnes

**500 g de pappardelles
2 cuil. à soupe d'huile
d'olive
2 gousses d'ail,
finement hachées
1 cuil. à café de piment
frais haché
500 g de tomates mûres,
hachées**

**1 cuil. à café de sucre
roux doux
425 g de saumon rose
en boîte, égoutté et
émietté (sans les
arêtes)
1/2 tasse (30 g) de
feuilles de basilic frais
Sel et poivre**

1. Plongez les pappardelles dans une grande casserole d'eau bouillante et faites-les cuire *al dente*. Égouttez-les et gardez-les au chaud.
2. Mettez l'huile à

chauffer dans une grande poêle et faites revenir l'ail et le piment, 1 minute à petit feu. Ajoutez les tomates hachées et leur jus, puis le sucre. Laissez cuire 5 minutes à petit feu, en remuant

délicatement, juste pour réchauffer les tomates.
3. Ajoutez le saumon et le basilic, salez et poivrez. Mettez les pâtes dans des bols à service chauds, et nappez de sauce.
Servez immédiatement.

Sauce tomate fraîche (en haut) et pappardelles au saumon.

- Pasticcio -

Temps de préparation :
1 heure
Temps de cuisson :
1 h 50 mn

Pour 4 à 6 personnes

1. Mettez la farine, le beurre, le sucre, le jaune d'œuf et la moitié de l'eau dans un robot ménager. Mixez jusqu'à obtenir une boule, en ajoutant de l'eau, si nécessaire. Pétrissez légèrement la pâte sur une surface farinée, jusqu'à ce qu'elle soit élastique. Enveloppez-la dans un film plastique et mettez au réfrigérateur.
2. Préparation de la farce : Mettez l'huile à chauffer dans une grande poêle ; faites revenir l'oignon et l'ail, laissez-les fondre et dorer un peu. Augmentez le feu, ajoutez le hachis et faites-le revenir, en détachant bien la viande à l'aide d'une fourchette. Mettez les foies, les tomates, le vin rouge, le bouillon, l'origan et la noix muscade, salez abondamment et poivrez. Cuisez à feu vif jusqu'à ébullition, puis baissez le feu et faites mijoter 40 minutes, à couvert ; laissez refroidir. Ajoutez le parmesan.

250 g de farine
125 g de beurre frais, en morceaux
3 cuil. à soupe de sucre en poudre
1 jaune d'œuf
2 cuil. à soupe d'eau

Farce
2 cuil. à soupe d'huile d'olive
1 oignon haché
2 gousses d'ail, finement hachées
500 g de bœuf haché
150 g de foies de poulet
2 tomates hachées
1/2 tasse (125 ml) de vin rouge

1/2 tasse (125 ml) de bouillon de bœuf riche
1 cuil. à soupe d'origan frais haché
1/4 cuil. à café de noix muscade
Sel et poivre
1/2 tasse (50 g) de parmesan fraîchement râpé

Sauce béchamel
60 g de beurre
2 cuil. à soupe de farine complète
1 tasse 1/2 (375 ml) de lait froid
Sel et poivre
150 g de spaghettis ronds (bucatinis)

3. Préparation de la sauce : Mettez le beurre à chauffer dans une poêle moyenne, à petit feu ; lorsqu'il mousse, ajoutez la farine. Laissez cuire 2 minutes, et faites bien dorer. Sortez du feu et incorporez le lait en remuant. Portez à ébullition jusqu'à ce que la sauce épaississe, en remuant sans arrêt ; puis faites bouillir 1 minute de plus. Salez et poivrez.
4. Plongez les spaghettis dans une grande casserole d'eau bouillante, et faites-les cuire *al dente*. Égouttez-les et laissez-les refroidir. Graissez généreusement une terrine; préchauffez votre

four à 160° C. Partagez la pâte en deux et abaissez-en une partie pour recouvrir le fond et les bords du plat. Mettez environ la moitié de la farce dans le plat, recouvrez de spaghettis et versez doucement la béchamel sur le tout, de façon à ce qu'elle nappe et pénètre les spaghettis. Mettez le reste de farce. Abaissez le reste de pâte et recouvrez l'ensemble. Égalisez les bords et pincez doucement la pâte pour fermer la tourte. Mettez-la au four 50 à 55 minutes, jusqu'à ce qu'elle dore et croustille. Réservez 15 minutes avant de découper.

Étalez une partie de la pâte sur le fond et les bords de la terrine.

Versez la sauce sur les spaghettis et laissez-la se répandre dans les pâtes.

– Coquilles à la ricotta, sauce au poulet –

Temps de préparation :
30 minutes
Temps de cuisson :
1 h 10 mn

Pour 4 personnes

1. Plongez les coquilles dans une grande casserole d'eau bouillante et faites-les cuire *al dente*. Égouttez-les bien. Mettez l'huile à chauffer dans une grande poêle. Ajoutez l'oignon et l'ail, faites-les revenir à petit feu, jusqu'à ce que l'oignon réduise. Mettez le prosciutto, et faites sauter 1 minute.
2. Ajoutez les champignons et laissez cuire 2 minutes. Mettez le poulet haché et faites bien dorer, en détachant la viande avec une fourchette pendant qu'elle cuit.

500 g de coquilles
2 cuil. à soupe d'huile d'olive
1 oignon haché
1 gousse d'ail écrasée
60 g de prosciutto, émincé
125 g de champignons hachés
250 g de poulet haché
2 cuil. à soupe de concentré de tomates
425 g de tomates en boîte
1/2 tasse (125 ml) de vin blanc sec

1 cuil. à café d'origan déshydraté
Sel et poivre
250 g de ricotta
220 g de mozzarella râpée
1 cuil. à café de ciboulette fraîche découpée
1 cuil. à soupe de persil frais haché
3 cuil. à soupe de parmesan fraîchement râpé

3. Incorporez le concentré de tomates, les tomates égouttées écrasées, le vin, l'origan, le sel et le poivre. Portez à ébullition, baissez le feu et laissez mijoter 20 minutes.
4. Préchauffez votre four à 180° C (thermostat 4). Mélangez la ricotta, la mozzarella, la ciboulette,

le persil et la moitié du parmesan. Déposez un peu de cette préparation dans chaque coquille. Versez un peu de sauce au poulet au fond d'un plat où vous disposez les coquilles. Nappez avec le reste de sauce, et saupoudrez de parmesan. Faites gratiner 25 à 30 minutes au four.

Dans une grande poêle, ajoutez à l'oignon et à l'ail le prosciutto émincé .

Faites revenir le poulet haché, en détachant la viande à l'aide d'une fourchette.

Incorporez les tomates égouttées écrasées, le vin et l'origan.

Déposez un peu de la préparation au fromage, dans chaque coquille.

– Spaghettis aux moules –

Temps de préparation :
20 minutes
Temps de cuisson :
12 minutes

Pour 4 personnes

500 g de spaghettis	**1 tasse (250 ml) de**
1,5 kg de moules, dans	**crème**
leur coquille	**2 cuil. à soupe de basilic**
2 cuil. à soupe d'huile	**frais haché**
d'olive	**Sel et poivre noir**
2 gousses d'ail écrasées	**fraîchement moulu**
125 ml de vin blanc	

1. Plongez les spaghettis dans une grande casserole d'eau bouillante, et faites-les cuire *al dente*. Égouttez-les et gardez-les au chaud. Pendant que les pâtes cuisent, ébarbez les moules, lavez-les bien et réservez-les. Mettez l'huile à chauffer dans une grande poêle ; ajoutez l'ail et faites revenir 30 secondes, à petit feu.
2. Ajoutez le vin et les moules. Laissez mijoter 5 minutes à couvert ; puis sortez les moules, en jetant celles qui ne sont pas ouvertes.
3. Mettez la crème et le basilic dans la poêle ; assaisonnez. Faites revenir 2 minutes. Versez la sauce et les moules sur les spaghettis, et servez.

– Spaghettis pizzaiola –

Temps de préparation :
15 minutes
Temps de cuisson :
30 minutes

Pour 4 personnes

2 cuil. à soupe d'huile	**1/2 cuil. à café de**
d'olive	**marjolaine**
2 gousses d'ail écrasées	**déshydratée**
250 g de bœuf ou de	**1/2 cuil. à café de basilic**
veau haché	**déshydraté**
2 boîtes de 425 g de	**Sel et poivre noir**
tomates	**fraîchement moulu**
1/2 tasse (125 ml) de vin	**2 cuil. à soupe de persil**
rouge	**frais haché**
1 cuil. à soupe de câpres	**500 g de spaghettis**
hachés	**Brins de fines herbes**

1. Dans une poêle, mettez l'huile à chauffer. Ajoutez l'ail et faites revenir 1 minute, à petit feu. Rajoutez le hachis et faites bien dorer, en aérant la viande avec une fourchette.
2. Ajoutez les tomates égouttées et écrasées, le vin, les câpres, la marjolaine, le basilic, le sel et le poivre ; portez à ébullition. Laissez mijoter 20 minutes, à découvert, pour réduire la sauce de moitié. Ajoutez le persil et remuez pour bien mélanger.
3. Plongez les pâtes dans une casserole d'eau bouillante, et faites-les cuire *al dente*. Égouttez-les dans une passoire et remettez-les dans la casserole. Versez la sauce dans cette casserole et remuez pour bien la mélanger aux pâtes. Servez immédiatement, (décorez, si vous le souhaitez, avec des brins de fines herbes).

Spaghettis aux moules (en haut) et spaghettis pizzaiola.

– Ragoût de rigatonis –

Rigatonis sauce à la viande

Temps de préparation :
25 minutes
Temps de cuisson :
3 heures au moins

Pour 4 personnes

---

180 g de jambon, ou d'épaisses tranches de lard, sans la couenne
150 g de foies de poulet
50 g de beurre
1 gros oignon, finement haché
1 carotte moyenne, finement hachée
1 branche de céleri, finement hachée
400 g de gîte à la noix, émincé

2 tasses (500 ml) de bouillon de bœuf
1 tasse (250 ml) de concentré de tomates
1/2 tasse (125 ml) de vin rouge
1/4 de cuil. à café de noix muscade, fraîchement râpée
Sel et poivre
500 g de rigatonis
30 g de beurre parmesan fraîchement râpé

---

1. Émincez le lard. Coupez les foies de poulet en tranches, hachez-les. Mettez la moitié du beurre à chauffer dans une poêle. Ajoutez le lard et faites-le dorer. Mettez l'oignon, la carotte et le céleri, et laissez cuire 8 minutes à petit feu, en remuant de temps en temps.

2. Augmentez le feu, ajoutez le reste du beurre, et lorsque la poêle est bien chaude, mettez le hachis. Détachez la viande et faites-la revenir. Mettez les foies et faites cuire, en remuant, jusqu'à ce qu'ils dorent. Incorporez le concentré, le bouillon, le vin, la muscade, le sel et

le poivre.

3. Portez à ébullition et laissez mijoter, 2 à 5 heures à couvert, à très petit feu, en ajoutant un petit peu plus de bouillon si la sauce réduit trop. Plus vous ferez cuire votre sauce, plus elle sera parfumée.

4. 15 minutes avant que la sauce soit prête, mettez les pâtes à cuire *al dente*, dans une casserole d'eau bouillante. Égouttez-les et

remettez-les dans la casserole maintenue chaude. Versez la moitié de la sauce et mélangez bien. Servez dans des bols à service chauds ; nappez avec le reste de sauce. Posez une noix de beurre. Servez avec du parmesan.

Note. Pour obtenir une sauce plus onctueuse, juste avant de servir mélangez à la sauce 200 ml de crème, ou de lait.

Avec un grand couteau pointu, émincez finement le lard.

Coupez les foies de poulet en tranches, puis hachez-les finement et réservez.

Détachez bien le hachis avec une fourchette et faites dorer la viande.

Égouttez les rigatonis dans une passoire, et déposez-les dans des bols à service chauds.

~ Index ~

*Photos de couverture,
en bas à gauche,
spaghettis à la
puttanesca (page 30),
et (à droite)
pappardelles au
saumon (page 54).*